さっそく読んでみよう！

ふたりは無事に
電車をおりられるのか!?

さっそく読んでみよう！

1位はどの妖怪？
世紀の一戦を見逃すな！

【新装版】水木しげるのおばけ学校②

ゆうれい電車

もくじ

妖怪(ようかい)ラリー

ある日、東京の民間放送局に、おかしな身なりの売りこみ屋があらわれた。

「とにかく安いもんです。チョコレート百ダースで、人間の見たこともない妖怪ラリーの実況放送が、わたしのアナウンスできけるんですから。」

放送局の重役は、半信半疑。

「そんな話、聞いたこともありませんが……。」

「その妖怪ラリーというのは、どこでやるのです？」

「そんなこと、ただでは言えません。なにしろ、ひみつのラリーなんですから。」

「えらく、もったいぶってるな。あやしいけど、安いから買うことにしましょう。」

「どうもありがとう。あす、無線放送するからね。」

まんまと、チョコレートをせしめたねずみ男。一反もめんにチョコレートを二まいやって、佐渡（新潟県）へ渡った。

佐渡では、ひとつの事件がおこっていた。海ぼうずの子どもが、ベアードの競争車にはねられたのだ。

たいしたケガはなかったが、おつかいの酒が、すっかりこぼれてしまった。

ちっとも、わるびれるようすのないベアードに、鬼太郎はカンカンだ。

「ベアード、あんまりじゃないか。酒をべんしょうし、ちりょう費を出してあやまれ。」

「佐渡で、妖怪ラリーがあることくらい、わかっているだろ？　自動車がきたら、よけるのがじょうしきじゃないか。」

「そうだ、そうだ。」

「道は、自動車のためにあるのよん。」

フランケンや、オオカミ男まで、ベアードにかせいいしはじめた。

「なんだい。言わせておけば……!!」

鬼太郎は、ますます腹がたった。

「やるの？」

「やる気？」

「ちょっと、あなたがた。
ラリーに優勝したものの
言い分を、きくことに
したらいいじゃ、
ござんせんか。」
ねずみ男の
ちゅうさいで、
しんぱん長の
赤舌もそれに、
さんせいした。

一コースから、
アメリカだいひょう
ベアード
イギリスだいひょう
オオカミ男
ドイツだいひょう
フランケン
フランスだいひょう
魔女

――全国のみなさん、
いよいよ世紀の一戦、
妖怪ラリーのスタート
です。
ソ連だいひょう
グレムリン
中国だいひょう
水虎
日本だいひょう
鬼太郎
すなかけばあの
あいずで、
全員スタート！

ブルルルルーッ！

――ものすごい音！　ものすごい音でございます。オオカミ男がとびでました。しかし、ほんめいベアード、やはり強し。

ベアード、フランケン、オオカミ男、魔女とつづいています。

鬼太郎はビリであります。

　うわさによりますと、鬼太郎のガソリンタンクの中に、魔女が小便を入れたと言われていますが、ほんとうだとすれば、ルールいはんでございます。

鬼太郎、がんばれーっ。

――あっ、魔女が出ました。とばしています。あっ、はやいはず。ほうきにのっているもようです。

――あっ、魔女、ベアードににらまれました。目がくらんで、魔女、岩にぶつかってしまいました。

――しかし、さすがは魔女です。ほうきにのって、助かっています。どうやら、かのじょのはしりかたは、ほうきをつかって、ホバー＝クラフト（水面や平地につかず、すこしういてはしる船）のように、とんでいたのです。

――先頭のベアードは、
川に入りました。妖怪は、
人間のつくったはしを
きらうのが、伝統でございます。
ジューッ。ドスン。
――ああ、どうしたのでしょう。
ベアードのエンジンが、
オーバーヒートを、
おこしたもようです。
すさまじい水じょう気です。
――そこへ、ブレーキを
ふみそこねたオオカミ男が、
ついとつしました。

――このときとばかり、
グレムリンと水虎が、
おいぬきました。
水虎は、かた手にハンドル、
かた手に毛沢山語録を
たずさえております。
――毛沢山語録には、
グレムリンにだけは、まけるなと
ありますので、じゃましあいは、
ひっしです。
おたがいに、ガソリンをぬきあって
います。
なんとはげしいレースでしょう。

――水虎とグレムリンがあらそっているうちに、またまた、ベアードがトップにおどりでました。鬼太郎がぬこうとすると、ベアードとくいのにらみをきかせて、めまいをおこさせています。

「ベアード、はんそくだぞ。」

――だが、ベアードは、さきほどのオオカミ男にぶつけられたこういしょうがいたみだし、ウイスキーでも飲まないと、レースをつづけられないようです。

すーっと、おいぬく鬼太郎。

「うぬ！　これでもくらえっ。」

――あっ、ベアードがウイスキーの強いのを、鬼太郎になげつけたもようです。

ぶわーっ

バーン！

——たいへんです。鬼太郎が火だるまになりました。このまに、グレムリンが出ました。

ピタッ。

——あれ？　どうしたんでしょう。グレムリンの車が、とつぜん、とまってしまいました。あわてて車をおしています。どうやら、ガソリンがなくなったもようです。

「鬼太郎の優勝じゃ。」

すなかけばばあの決勝フラッグが、ふりおろされた。

グレムリンは、車をおして二着。三着はベアード。

すなかけばばあは、すなをかけ、海ぼうずは、海水をかけ、鬼太郎の火をけしとめた。

「気分はどうじゃ？　鬼太郎。」

「ふつうなら、やけどで死ぬところだったが、チャンチャンコのおかげでたすかった。」

「どうだ、ベアード。海ぼうずの子どもにあやまるか！」

「ふん。
こんなインチキな
レースってあるかい。
ぼくは、おまえの
優勝をみとめないね。」

「なんだと！　もういっぺん言ってみろ。」

「いえ、いまのはじょ、じょうだんです。」

しんぱん長の赤舌にどなられて、ベアードは小さくなってしまった。

「おらあ、酒だけかえしてもらえばいいよ。鬼太郎さん、ありがとう。これで、おとうにしかられずにすんだよ。」

〽ゲ、ゲ、ゲゲゲのゲ
みんなで、歌おう
ゲゲゲのゲ

ゆうれい電車(でんしゃ)

ここは東京新宿のさかり場。
とあるのみやで、
鬼太郎とねずみ男が、
ふたりのよっぱらいに
からまれていた。
「はははは。ばかばかしい。
この科学時代におばけが
いるなんて、わらわせるな。」
「そうよ。おばけを
しんじているなんて、
ばかな人間のしょうこだ。」
「ほんとうにいるから、
いると言っているだけだ。」

鬼太郎は、れいせいに言った。

「鬼太郎！　これいじょうおばけのぎろんをしても、はじまらんよ。頭のおよわい人たちだ。」

　ねずみ男が、こばかにしたように言った。

「なにっ、頭がよわいだって？」

「せんぱい！　われわれをもっとも、けいべつしたことばですよ。」

「はははははは。」

鬼太郎たちは、大声でわらいだした。

煮こみ
焼とり
ビール
350

「なんだ、このやろう！」
ポカリッ！
よっぱらいは、鬼太郎の頭を、
おもいきりなぐった。
「いたたた……。なんてらんぼうな
やつらだ。」
「鬼太郎！　いたかったろう。
でっかいこぶが出ているぞ。」
　鬼太郎の頭には、
大きなこぶができた。

「おお、すごいこぶだ。」

鬼太郎は、こぶの大きさをはかりながら言った。

「わるいけど、同じ大きさのこぶで、おかえしさせてもらうぜ。」

「おもしろい。おれは、もとボクサーだぞ。いつでもあいてになってやる。」

「くやしかったら、じつりょくでむかってこいってんだ!」

よっぱらいたちは、すてぜりふをのこして駅へむかった。

鬼太郎とねずみ男は、顔を見あわせてわらった。

「ふふふ、いまに見てろよ。」

「西調布まで、きっぷを二まいくれ。」
よっぱらいたちは、駅できっぷを
買おうとした。
「当駅発の電車は、ぜんぶおわりました。」
すげない駅員のへんじ。
「えっ、終電車はもう出てしまったのか。」
とほうにくれているよっぱらいの
うしろから、いいようなムードの駅長が言った。
「こんやは、とくべつに、多摩霊園ゆきの
りんじ電車が出ることになっているよ。」
「あれ？　駅長さんいらしたんですか。」
かえったはずの駅長がいたので、
駅員はけげんな顔。

ふたりが、きっぷをきってもらって、ホームに入ると、
うすきみのわるい、なまあたたかい風がふいていた。
おおぜいの人がいるにもかかわらず、ホームは、
ふかい海のそこのように、しずまりかえっていた。
ピイイー。
ゆうれいのようにやせた駅員の笛。
キイイー。
れいきゅう車が、きしむような音。
ゴトゴトゴト。
火葬場のとびらに似た音を立ててドアがあくと、
人びとはすいこまれるように、電車の中に、
入っていった。

「ばかにひんやりしていて、
きみがわるいですねえ。」
「気のせいだよ。」
とは言うものの、よっぱらい
たちはおっかなびっくり。

やがて、どこからともなく、
おおぜいの駅員が線香を
もってやってきました。
すると、じょうきゃくたちは、
ぜんいん立ちあがって、
おきょうのような、死を
ほめたたえる歌をうたいだした。
「電車をのりちがえたんじゃ、
ありませんか!?」
「まさか。」
「ぼくたちは、新宿駅から多摩霊園
ゆきの電車にのったんだろう。
まちがってるはずがないよ。」

ゴトンゴトン。

やがて電車はしずかにうごきだした。

チンチン。

けいほう機がリン、、のような音をだした。

〝臨終〟という駅をすぎて、〝火葬場〟という駅をつうかするころになると、しゃしょうが、じょうしゃけんをしらべにきた。

「みなさん。まいどごじょうしゃ、ありがとうございます。

つぎのていしゃ駅は、〝こつつぼ〟です。」
「きみのわるい駅名ばかりだな。」
「せんぱい……。こりゃあ、きっと、
のりまちがえたんですよ。つぎの〝こつつぼ〟
という駅でおりましょう。」
「ばか言え！　そんなきみのわるい駅でおりたら、
かえっておそろしいめにあうぞ。むしろ、終着駅の
多摩霊園までいったほうが、あんぜんだよ。ぼくは、
あのへんをよくさんぽするから、
道はくわしいんだ。」

つぼ
壺
TSUBO
→
火葬場

「こつつぼ〜。
こつつぼ〜。」
「うっ！」
よっぱらいのからだから、
サーッと血の気がひいていった。
妖気をただよわせた駅員が、
カンテラをかざしているだけで、
人の気はいが、まったく
なかったのだ。

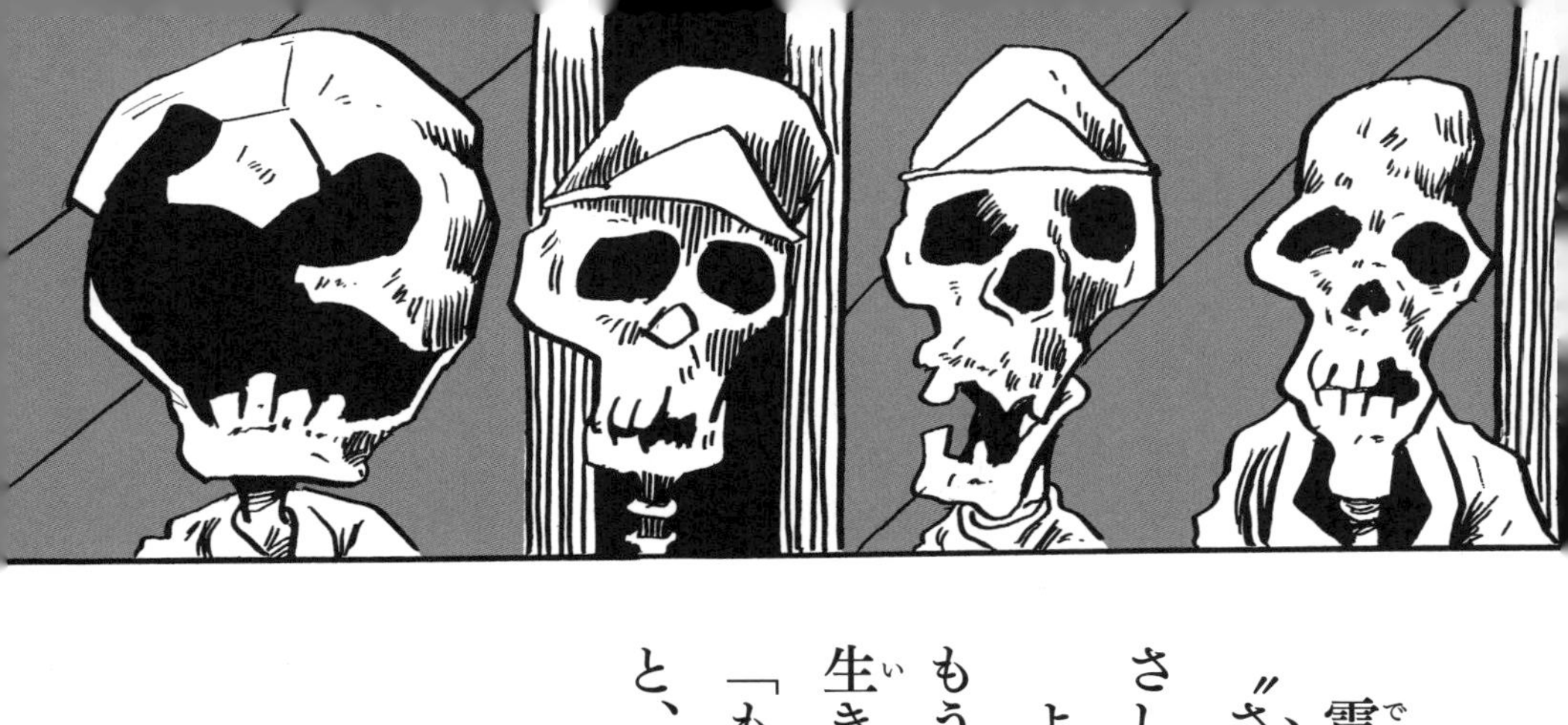

電車は、てっきょうをわたり、
〝さいのかわら〟のようなところに
さしかかった。
よっぱらいたちは、
もうよっぱらうどころか、
生きたここちさえなかった。
「ものすごいところに、きちゃったな〜。」
と、車内をふりかえると……。

「ぐあっ！」
いつのまにか、じょうきゃくの
すがたは、死人にかわっていた。
そして、どこからともなく、
死者をたたえるコーラスが、
ながれてきたのだ。
「こりゃあ、いよいよ
きみがわるい。」

「うんてんしゅに
たのんで、電車をとめてもらおう！」
よっぱらいは、
じょうむいん室へ
かけこもうとした。
そのひょうしに、
じょうきゃくにふれ、
ズガイコツがポロリ。
「ギャーッ。」

「せんぱい、
ちょっとまって！
こんなところで、
電車をとめてもらって
どうすると
言うのです！」
そとは、草や木が
いっぽんもないさばくだ。

「バカッ。この電車の終着駅を考えてみろ。……お墓だぜ。しかもこのようすでは、ぼくたちは……、ほんとうの墓場ゆきだぞ！」

「はやく、この電車をとめてもらおう。」

トトトン。

「せんぱい、ノックしなくてもあきますよ。」

よっぱらいは、さいごのゆうきをふるいおこして、じょうむいん室のドアをあけた。

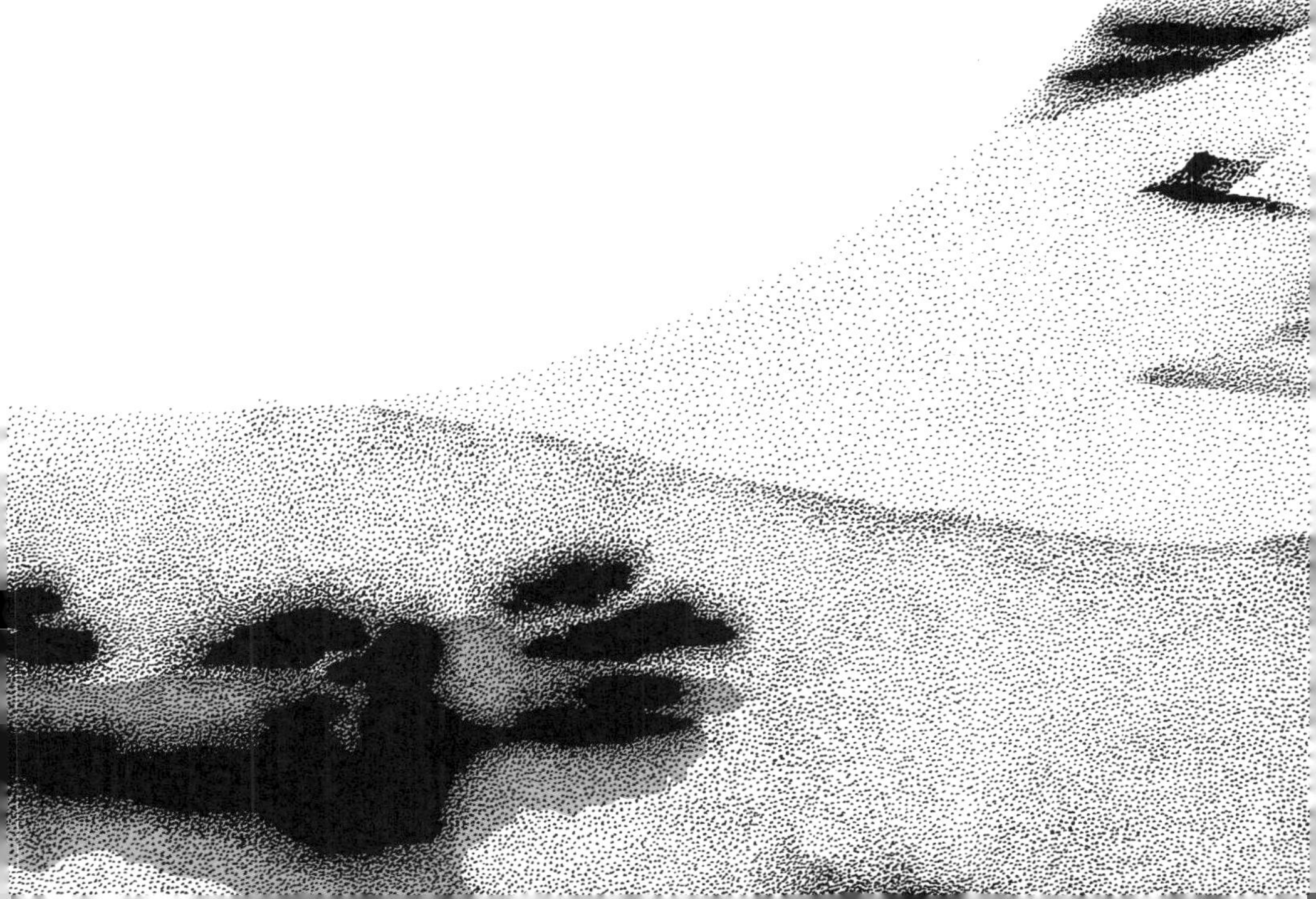

ガラガラガラ……。

「なにか、ごようですか。」

「ぎゃあ！」

きゅうけつコウモリ、フランケンシュタイン、なまくびおばけ……。

しかもそれが、奇妙な声を出しながら、うようよと

じょうむいん室から出てくるのだ。

「うわーっ。」

「こんなおばけどもにおそわれたら、命がいくらあってもたりない。」

「せんぱい、ど、どうするんです。」

「お、おい！
とびおりるんだ！」
「せんぱい！　とびおりたら
命がありませんよ。」
「バカッ。このままじっと
してるより、とびおりたほうが
ずっとあんぜんだ！
われわれは、まちがえて
ゆうれい電車にのって
しまったんだ。
このままのって
いれば、あの世に
いってしまうぜ。」

ぎゃーおぉぉ……。

気がついてみると、よっぱらいたちは、ごみすて場にいた。

そこには、明治時代のふるぼけた電車が、すてられていた。

「すると、ぼくたちはこんなふる電車のなかで、ひとばんじゅうさわいでいたわけか。」

電車の中をのぞくと、
おどろいたことに、鬼太郎と
ねずみ男が、とくいげにすわっていた。
「おまえたちは、
まだわからないのか。」
「この鬼太郎さまが、ちょっと霊力を
見せてやったのさ。頭にできたこぶを
見ろ。ちょうどおれのと、同じ
大きさだろ。」

「すると、おまえはおばけの
なかまだったのか……。」
「きゃあ、お助けえ。」
ふたりは、あわててにげだした。
あとには、おけらやカエルの
歌う「ゲゲゲのゲの歌」が
きこえてきた。

おどろおどろ

妖怪のせかいにも、お正月が
やってきた。
鬼太郎が、朝おきてみると、家の
そとに、大きなこづつみが
とどいていた。
「きっと、だれかが、おとしだまを
おくってくれたんだな。」
鬼太郎はワクワクしながら、
こづつみをひらいてみた。
中には、はこが入っていた。
はこのふたをあけてみると……。

「うわーっ、プラモデルだ。」
目玉のおとうさんも
目をパチクリ。
「鬼太郎、これはプラモデルと言うより、
おもちゃの飛行機と言ったほうが
いいかもしれないな。とても家の中では、
くみたてられないよ。」
「おとうさん、こりゃあ、本格的な
ものですよ。だって、のれるもん。」

鬼太郎は、
くみたてた飛行機に
のりこんでみた。
スーッ。
なんということだ。
飛行機は、鬼太郎を
のせたまま、空中へ
まいあがってしまった。
鬼太郎は、必死に
飛行機の計器を
いじってみた。

「いったい、こりゃ、どうなってるんだ。どこをいじっても、とまらないや。」
鬼太郎はおどろいて、ねじをまわしたり、ボタンをおさえてみたりしたが、飛行機はとまるどころか、ますますスピードをだして、とびまくった。
チャンチャンコを飛行機のエンジンにかぶせたが、それでもとまらない。

すー

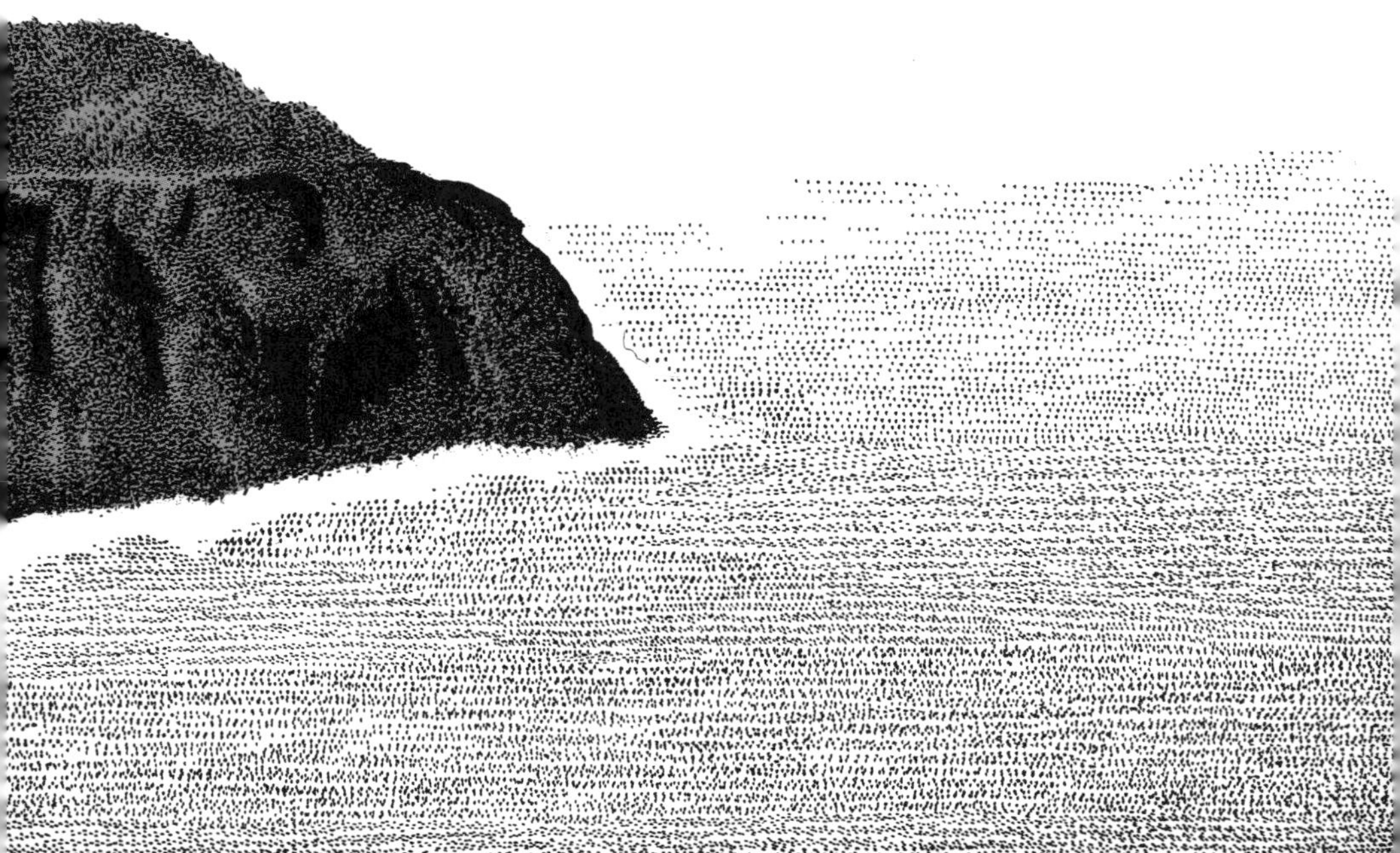

飛行機は、町をこえ、山をこえ、
また町をこえ、海上にでた。
飛行機は、一心不乱に
とびつづけるだけだった。

「おおうなばらを、きょうで三日も
飛行しているんだ。いったい
この飛行機は、ぼくをどこへ
はこぼうというんだ。」

「あっ、こんなところに島が！
無人島らしいな。」

　飛行機は、まるですいこまれる
ように、島にむかっておりていった。

ガガッ。
飛行機は、胴体着陸して、
ようやくとまった。
「しまった、こわれちゃった。
これじゃかえれないや。」
まわりは、飛行機のざんがいで
いっぱいだった。
石ころだらけの島で、草木いっぽん
はえていない。
鬼太郎が、耳をすましてみると、
とおくで、ガヤガヤと、話し声が
きこえてきた。

LED ZEPPELIN

「なーんだ。新年の妖怪パーティに、しょうたいされたのか。子なきのじいさんに、すなかけのばあさん、ぬりかべまで、妖界の名士がそろっているじゃないの。」

「鬼太郎、いっぱいやれや。」

すなかけが、さかずきをすすめた。

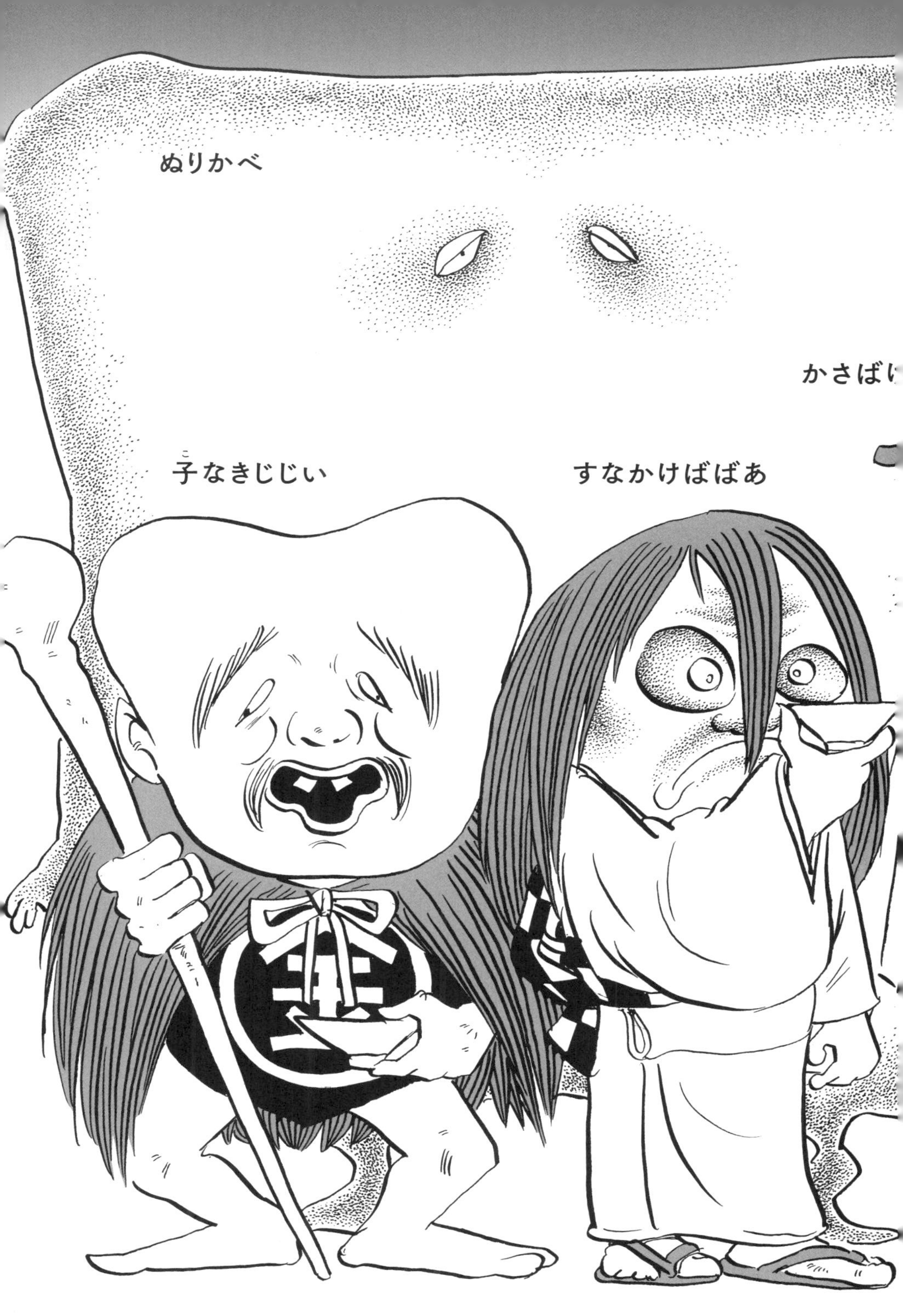
ぬりかべ
かさば
すなかけばばあ
子なきじじい

「おまえが、しょうたいしてくれたんじゃろ?」

と、子なきじじい。

「えっ、おれ、なんにもしらないよ。」

みんなは、鬼太郎が、しょうたいしてくれたと思っていたのだ。

「おかしいな。なんだか、わけがわからんな。」

「いったい、ここはどこなんだ。」

シーン。だれも、島の名前をしらなかった。

「じゃあ、しょうたいされたんじゃなく、ごうりてきに、無人島にながされたってわけじゃないかな？」

いくら妖怪だからって、絶海の孤島にながされたんではたまらない。

みんなは、うでぐみをしてしまった。

そのころ東京では、子どもがいなくなるという怪事件がおこっていた。

　それらの子どもには、かならず飛行機のプラモデルがおくられて、その飛行機でいずこかへ、つれさられるのだ。

　妖怪ポストには、鬼太郎に助けをもとめるてがみが、山のようにきていた。しかし、ねずみ男では、どうすることもできなかった。

　いっぽう、鬼太郎のうちでは、目玉のおとうさんが、いっしょうけんめい、くもの糸でロープをあんでいた。

「おやじさん。
どうする気だい？」
「おう、ねずみ男か。
わしゃ、これから鬼太郎を
助けにいってくるぜ。」
「鬼太郎はどこへ
いったんだ？」
「カラスがしってらあ。」
「よし。あとは、おれが
留守番しといてやるよ。」
わさわさわさ。
目玉のおとうさんは、
カラスにつれられて、

やみのかなたへと、消えていった。

ねずみ男が、鬼太郎のうちで留守番をしていると、夜空に、
なにかひかるものがみえた。

「あっ、へんな飛行機。」

飛行機は、森の中におちていった。

「しかも、子どもがのっていた。どうもへんだ。」

ねずみ男は、むらむらと、好奇心がわいてきた。
森の中には、一軒のふるびた家があった。
「おや？　こんなところに家があるな。ここの人にきいてみりゃ、
わかるだろ。」
トントン。ノックをしてみた。
「もしもし。ここらに、飛行機がおちなかったですか？」
けけけけけ……。
きみのわるいわらい声がきこえてきた。
「どうぞ、お入りになって……。」
ねずみ男は、中から、やさしい声がきこえるので、
きっと、やさしい人がいるのだろうと思って、ドアをあけてみた。

「きゃーっ。」
なんと、
世にもおどろおどろしい
ばけもの。
にげだす、ねずみ男。
「おっと、ここにきて
にげられたものは、
ひとりもいないのよ。」
ねずみ男は、
おどろおどろの長いかみに
ぐるぐるまきにされ、
にげることができない。
ねずみ男、あぶない！

スポッ

妖術をつかえないねずみ男は、おどろおどろに血をすわれ、ミキサーのような機械に、ほうりこまれてしまった。

おどろおどろが、その機械のスイッチを入れると、ねずみ男は、霊気とともに消えてしまった。

そして、機械だけがぶきみに、ゴロゴロとなっているだけだった。

おどろいたテントウムシは、鬼太郎にしらせようと、家の中のふし穴からそとへとびたった。

ねずみ男を、すいこんだ機械は、いよいよ、ぶきみな音を出して回転する。

ねずみ男は、いったいどうなるのだろう……。

ビビビッ

いっぽう、鬼太郎はおとうさんに助けだされて、家へむかっていた。
そこへ、ねずみ男の不幸をしらせにきたテントウムシ。
鬼太郎は、妖気を感じるかみの毛を
立てて方向をさだめると、
いそいで、森の家へ直行した。
「ごめんください。」
ガラッ。
「ああっ。」
鬼太郎は、
戸のかげにかくれていた
おどろおどろにとらえられ、
機械に入れられてしまった。

へんな機械の
中に入れられた
鬼太郎は、どんどん
おくのほうへいってみた。
あるいてもあるいても、
足がちゅうにういている
かんじだ。
と、おくのほうから、なにやら、
ヒソヒソごえが聞こえてきた。
そこには、ゆくえふめいに
なった子どもたちとねずみ男が、
とほうにくれてすわっていた。
「あっ、鬼太公だ！」

「おい、ここはどこなんだ。」

「ここは、霊の世界らしいんだよ。」

「すると、あのへんな機械は
霊界輸送機だったんだな。」

「霊界輸送機？　おばけも科学的なものを
つくるようになったもんだなあ。」

ねずみ男は、さかんに感心している。

「へんだ。なにがなんだかわからない。

とにかく、ぼくはここから出るよ。」

「鬼太郎さん。出るって、どうやって？」

「輸送された道を、ぎゃくにたどればいいのだ。」

「なるほど。じゃあおいらも……。」

子どもたちは、きそって出たがった。

「いや、きみたちはだめだ。チャンチャンコもないし、このふしぎなゲタもないもの。」

「じゃあ、おれたちはどうなってもいいって言うのかね。」

にくまれぐちは、ねずみ男の十八番。

「ぼくが、助けにくるまで、まってるんだな。」

「たよりないな。」

「だいじょうぶだ。きっと助けだすよ。」

鬼太郎は、輸送された道をぎゃくにたどっていった。とちゅうで、からだがちゅうにうかんだが、ゲタにひきつけられ、無事に入口にたどりついた。

しかし、入口ふきんは空気がぎゃくりゅうしており、右に左にながされ、なかなか出られない。チャンチャンコにささえられて、やっと家の中へ出られた。

家の中をたんけんして
みると、さまざまな機械と
実験道具のあふれた
へやばかりだった。
「なんだ。まるで科学者の
実験室みたいだな。」
鬼太郎は、思わず
つぶやいてしまった。

へんな足音と妖気を感じたおどろおどろは、

「おや、霊界輸送機がこわれたのかな？」

と、へやをのぞいてみて、びっくり。

ふたたび鬼太郎におそいかかった。

くわっ!!

「おっと、こんどはかんたんにはやられないぜ。」

ぴょんと、おどろおどろをかわす鬼太郎。

そのとき、ひとりの子どもが、
さけびながらとびだしてきた。

「殺しあいは、やめてください!!」

「じつは、この妖怪はぼくの父なのです。」

「父は、ゆうしゅうな科学者でした。父は、毛はえぐすりのけんきゅうにねっしんなあまり、みずから実験台になったのです。その薬品をのんだあと、奇妙な化学へんかがおこり、妖怪になってしまったのです。」

「正太郎、むだなことだ。わしらのことをしったものは、この地上から消してしまわねばならないのだ。それが、わしらの生きるいちばんあんぜんな道なのだ。」

「でも、おとうさん。鬼太郎とたたかってはそんです。この場はぼくにまかせてください。」

「父は、妖怪になると、超能力を身につけましたが、こまったことに、人間の血をすわなければ生きていけないからだになってしまったのです。」

「正太郎、てきにそんなことまで言っていいのか。」

「おとうさんは、だまっててください。ぼくは真実をうったえて、たたかいをさけたいのです。」

「子どもの血をすったといっても、殺人ではありません。死なないていどにすっていたのです。」

「あなたがたを無人島におくったのも、父が生きていくのにじゃまだったからです。」

正太郎は父を思って、せつせつとうったえた。

「じゃま……？」

「父のこうしたへんかやおこないを発見するのは

妖怪以外にはないからです。」

「しかし、霊界におくった子どもたちを、そのままにしておくことはないだろ。」

と、こうぎする鬼太郎。

「そのままにしておかなけりゃあ、ぼくのしてきたことや、ぼくのへんかがせけんにわかってしまうじゃないか。バカ！　ぼくのめいよのためには、子どもの百人や二百人、霊界におくったっていいじゃないか。人間はいずれ霊界にいくんだ。そんなに話がわからないなら、殺してしまうまでだ！」

おどろおどろは、鬼太郎のからだに、
かみの毛（血をすうくだ）をさしこんだ。
「おとうさん、やめてください！」
あっ、どうしたことだ。鬼太郎が
だんだん大きくなっていった。
「おとうさんが、こんなに小さく……？」
「正太郎、わしの血液を鬼太郎が
ぎゃくにすいおったのじゃ。
わしはこれまで……。」
「おとうさん、おとうさん……！
おとうさんのバカ！」

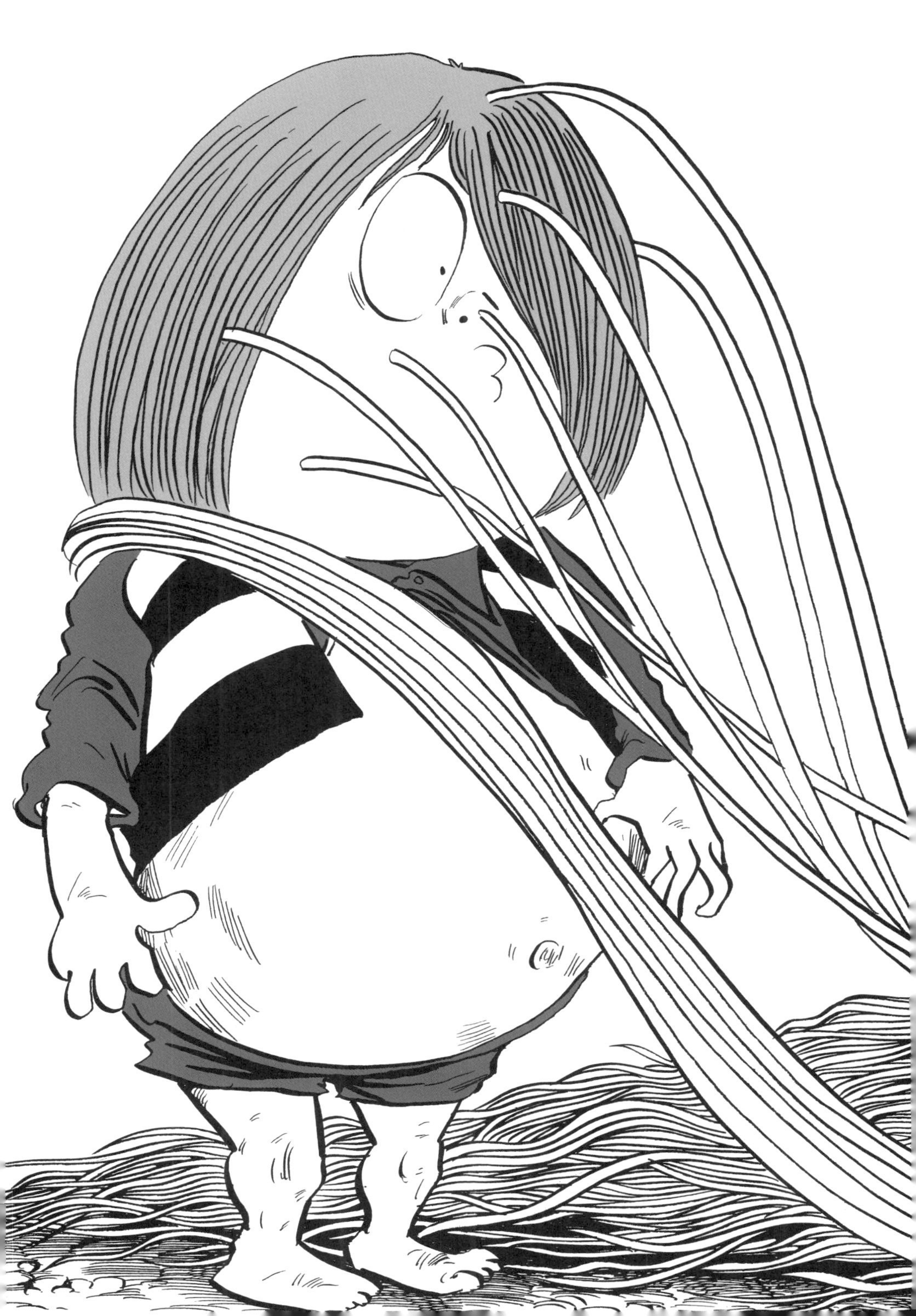

鬼太郎は、
すいとった血液を
おけの中にあけると、
すぐ霊界輸送機をぎゃくに
回転しはじめた。

こうしてひとりずつ、霊界に
おくられた子どもは、かえってきた。
「それにしても、魔女のほうきの
なかにふくまれている
ホウキ元素を発見して、
プラモデルにまぜていたとは、
おどろおどろも、
たいした科学者だったなあ。」

「さ、妖怪はたいじした。
みんな、かえるんだ。」
そのとき、うしろから
鬼太郎に石をなげる
ものがいた。
「いたっ。だれだ？」
「鬼太郎のバカー！」
それは、父をなくした
正太郎のせいいっぱいの
ていこうだった。
きょうばかりは、
ゲゲゲの歌も、なぜか
むなしくひびくのだった。

あとがき——おばけとの出会い　水木しげる

ぼくの場合、おばけと出会っていながら、その時はそれと気づいたことはない。

人に教えられるか、本を読んで、なるほど、あれがおばけだったのかといった場合が多い。

今から五十年くらい前は、こどもはみんな、鬼太郎がはいているような下駄をはいていた。

下駄で外をあるくと音がする。かわいた道とか、アスファルトのところなんかは、とくに高い音がする。

ある月夜だった。

ぼくが下駄をはいて、カランコロンとあるいていると、もうひとつ別な音が、カランコロンと、うしろできこえる。

おかしいなア、と思ったが、こわくてうしろをふりむくことができない。人は一人も通っていないし、ぼくは恐怖のあまり固くなって、

冷汗をかきながら、家にかえって、おばあさんにきくと、
「あ、それはべとべとさんというおばけがついたんだよ。べとべとさんにつけられたら、べとべとさん、先へおこし、といって、道のわきによれば、下駄の音だけが先へゆくから、べとべとさんにつけられなくなるのだよ。」
と言われて、なるほどと思ったことがあった。

もうひとつは、戦争中、夜、敵におわれてジャングルを逃げていたら、ぬりかべに出会った。

形はハッキリわからなかったが、前へ押しても、コールタールのかわきかけのようなものが立ちはだかり、前へ進めないのだ。

しかたなく休んで、ひといき入れて、前を押してみると、今まで進めなかったのがうそのように前へ進めた。不思議なこともあるもんだなア、と思って、日本にかえって柳田國男の『妖怪談義』という本を見たら、それはぬりかべというものであると書いてあり、はじめて、それがぬりかべだとわかった。人間はおばけに出会っていても、なかなか気づかないものだ。

水木しげる

1922年、鳥取県境港市出身。同市の高等小学校を出て大阪にゆき、いろいろな職業につきながら、いろいろな学校を出たり入ったりする。戦争で左腕を失う。著書には『ゲゲゲの鬼太郎』『悪魔くん』『河童の三平』『日本妖怪大全』などがある。

※本書は、1980年にポプラ社より刊行された『水木しげるのおばけ学校② ゆうれい電車』を再編集したものです。再編集にあたって、一部、現代の社会通念や人権意識からは不適切と思われる表現を修正しております。

ゆうれい電車

新装版　水木しげるのおばけ学校②

2024年9月　第1刷

著　者	水木しげる
発行者	加藤裕樹
発行所	株式会社 ポプラ社 〒141-8210 東京都品川区西五反田3-5-8 JR目黒MARCビル12階 ホームページ　www.poplar.co.jp
印刷・製本	中央精版印刷株式会社
デザイン	野条友史（buku）
ロゴデザイン協力	BALCOLONY.

落丁・乱丁本はお取り替えいたします。ホームページ（www.poplar.co.jp）のお問い合わせ一覧よりご連絡ください。

N.D.C.913 ／ 111P ／ 22cm ISBN 978-4-591-18267-3
P4184002